Des extraterrestres dans l'école!

Suzan Reid

Illustrations de
Susan Gardos

Texte français de
François Renaud

Les éditions Scholastic

*À Ashley, Kaitlin et Maegan
de même qu'à June et Nelson Miles, mes parents,
merci d'avoir corrigé mon travail!*

*Aux élèves de l'école primaire de Peachland ainsi
qu'à Nicol et Devyn, merci d'avoir été une source
d'inspiration quotidienne!*

Données de catalogage avant publication (Canada)
Reid, Suzan, 1963–
        [Aliens in the basement. Français]
        Des extraterrestres dans l'école!

Traduction de : Aliens in the basement.
ISBN 0-590-12393-9

I. Renaud, François. II. Titre. III. Titre : Aliens in the basement. Français.

PS8585.E607A8414 1997   jC813'.54 C97-931117-9
PZ23.R45De 1997

4 3 2 1   Imprimé au Canada   7 8 9/9

Chapitre 1

Le cachot

—Mateo Dias, cours vite chercher monsieur Lanteigne! ordonne madame Lacasse. Nous devons nettoyer cette catastrophe.

Mateo s'immobilise. Tout le monde cesse de planter des œillets d'Inde pour le regarder. Pendant ce temps, madame Lacasse se débat avec un énorme sac de terre qui déverse son contenu sur le plancher.

— Il doit y avoir un trou dans le sac, continue madame Lacasse. Fais vite, Mateo! Avant que quelqu'un marche là-dedans et laisse des traînées de terre partout dans l'école. Trouve monsieur Lanteigne et demande-lui le grand balai.

— Est-ce que quelqu'un peut m'accompagner? demande Mateo, la gorge serrée.

— Mateo, tu peux trouver monsieur Lanteigne tout seul. Et je t'en prie, fais vite! Bientôt, c'est une montagne de terre que nous aurons dans la classe!

— D'accord, d'accord, j'y vais, dit Mateo en se dirigeant vers la porte.

— Ne t'inquiète pas, chuchote Évelyne Degrosbois quand Mateo passe à côté de son pupitre. J'y vais avec toi.

L'école Stanislas est une vieille école. Construit en 1914, le bâtiment principal ne compte que quatre salles de classe. Cette année, la classe de Mateo est logée dans la nouvelle section de l'école, en face du gymnase, avec la fontaine murale tout juste à côté de la porte. Comme le local est près de la sortie, aux récréations, Mateo et ses camarades de classe sont toujours les premiers à sauter sur les balançoires du terrain de jeux. Cependant, la vieille section de l'école n'offre aucun de ces avantages. Au contraire, la vieille section de l'école fait peur à Mateo.

Le local du concierge est situé au sous-sol, dans la vieille section de l'école. Mateo n'y a jamais mis les pieds. D'ailleurs, aucune personne saine d'esprit n'aurait envie d'y aller, car tout le monde a une peur bleue de monsieur Lanteigne. Il y a une éternité qu'il est concierge à l'école Stanislas. C'est un homme très grand, au visage en broussaille, qui a toujours l'air bougon.

Mateo a entendu toutes sortes d'histoires à propos de monsieur Lanteigne. Sa sœur Zoé lui a déjà raconté qu'après l'école, les mauvais élèves devaient descendre au sous-sol et qu'on les enfermait dans un cachot situé à l'arrière du local de monsieur Lanteigne. Comme le concierge est le seul à avoir la clé, il vous fait réciter vos tables de multiplication durant des heures avant de vous libérer.

Évelyne, elle, prétend qu'il y a, dans ce local, un réfrigérateur bourré de toutes les gâteries qui disparaissent régulièrement des boîtes à lunch des élèves. L'estomac de Mateo gargouille, en se rappelant le jour où un gros morceau de gâteau au chocolat fondant a mystérieusement disparu de son sac.

Frédéric Weber, lui, prétend qu'un jour, il y a très longtemps, un élève est descendu au sous-sol et qu'il y a vu quelque chose de si terrifiant, qu'il en a perdu la mémoire. Du moins, c'est ce qu'on raconte, prétend-il.

Je ne crois pas à tous ces trucs, se dit Mateo en se rendant au fond du couloir. Je vais juste chercher un balai. Il prend une grande inspiration et tire sur la poignée. Il entrouvre à peine la porte qui craque et grince, en pivotant sur ses gonds. Il jette un coup d'œil inquiet dans l'escalier. En contrebas, il aperçoit de la lumière.

— Il y a quelqu'un? appelle-t-il, d'une voix faible.

Comme il n'obtient pas de réponse, Mateo

ouvre la porte plus grand, s'agrippe à la rampe et descend deux marches.

— Il y a quelqu'un?

— Hé, toi! répond une voix forte qui le fait sursauter.

Chapitre 2

Les pieds dans les pots

Lentement, Mateo regarde par-dessus son épaule...

— Évelyne! dit-il, en poussant un soupir de soulagement.

— Je t'avais dit que je t'accompagnerais, dit-elle, avec un sourire en coin. Croyais-tu que j'allais te laisser descendre ici tout seul? Je tiens à voir de quoi ça a l'air.

— Où es-tu censée être?

— Aux toilettes, réplique Évelyne, en écartant une mèche de cheveux de son visage tout en s'appuyant sur le cadre de porte. Donc, j'ai deux minutes, pas plus.

Mateo et Évelyne se connaissent depuis qu'ils sont bébés. Leurs mères ont travaillé ensemble à l'hôpital et, à tour de rôle, elles se sont échangé des services de gardiennage quand leurs enfants étaient petits. Même si on le taquine sous prétexte qu'il est toujours en compagnie d'une fille, Mateo estime qu'Évelyne est sa meilleure amie.

Évelyne trouve toujours le moyen de sortir de la classe, en particulier lorsqu'il y a un peu d'action à l'horizon, comme descendre au local du concierge, par exemple. La mère de Mateo prétend qu'Évelyne aime tellement l'aventure, qu'elle a une manière bien à elle de s'en inventer.

— Tu sais, dit Mateo, en agitant son doigt sous le nez d'Évelyne tu as failli me faire débouler l'escalier. Pourquoi tu as crié comme ça? Il faut toujours que tu trouves le moyen de me faire sursauter.

— Tu es un vrai paquet de nerfs, Mateo! Maintenant, avance. Allons chercher monsieur Lanteigne.

La main de Mateo glisse le long de la rampe, tandis qu'il descend l'escalier mal éclairé sur la pointe des pieds.

— Dépêche-toi, dit Évelyne. Je vais buter contre toi.

— Dans ce cas, cesse de me pousser.

— Je ne te pousse pas, je t'indique la direction.

Quand ils arrivent au pied de l'escalier, Mateo recommence son manège.

— Il y a quelqu'un?

— Pourquoi tu chuchotes? demande Évelyne.

— Je ne chuchote pas, chuchote Mateo.

— Désolée, je croyais que tu chuchotais, chuchote Évelyne.

La lumière est si faible qu'ils doivent cligner des yeux pour s'habituer à l'obscurité. Une série de boîtes empilées jusqu'au plafond cache l'un des murs, tandis que des vieux pupitres sont alignés le long d'un autre. Mateo lève les yeux et aperçoit des fils d'araignée qui pendent en grappe du plafond.

— C'est bizarre ici, dit Mateo.

— Et ça sent drôle, dit Évelyne, en reniflant l'air fétide. Comme un vieux placard ou quelque chose du genre.

— Viens, dit Mateo, en se tournant vers l'escalier. Je ne crois pas que monsieur Lanteigne soit ici. Remontons.

— Hé, regarde ça! s'exclame Évelyne, en soulevant le couvercle d'une vieille boîte. Son geste produit un nuage de poussière qu'elle écarte de la main. Tu vois tous ces pots de verre?

Elle en retire un de la boîte et l'époussette avec sa manche.

— Qu'est-ce qu'il contient? demande Mateo.

— Rien, il est vide, répond Évelyne, en le regardant de près. Et je n'arrive pas à lire l'étiquette.

— C'est normal, tu n'as pas tes lunettes. Nous devrions partir d'ici, ajoute Mateo, en jetant un regard inquiet autour de lui.

— Oublie mes lunettes. On n'en a pas besoin.

Tout en lui tendant le pot vide, Évelyne en sort un autre de la boîte.

— Nous partons! dit Mateo, en lui arrachant les pots des mains et en les replaçant dans la boîte.

En relevant les yeux, il aperçoit Évelyne qui soulève le couvercle d'une autre boîte.

— Ces pots-ci sont plus gros, dit-elle, en forçant pour en soulever un. Et il y a quelque chose dedans.

— Probablement des cornichons, réplique Mateo. Allez, Évelyne, je suis sérieux, viens.

— Non, regarde. Dans celui-ci, il y a une espèce de liquide, ajoute-t-elle, en essuyant l'étiquette. Je n'arrive toujours pas à lire. Tiens, prends-le. Crois-tu que ça appartienne à monsieur Lanteigne?

— Pourquoi veux-tu que ce soit à monsieur Lanteigne? demande Mateo, en attrapant maladroitement le gros pot glissant.

— Chut! fait Évelyne, en levant la main. Écoute! Entends-tu quelque chose?

Ils tendent tous deux l'oreille.

Un bruit de voix. À peine perceptible, mais, définitivement, quelqu'un parle.

— Qui est-ce? demande Mateo.

— Je ne sais pas, chuchote Évelyne.

— Monsieur Lanteigne?

— Je ne reconnais pas sa voix, dit Évelyne, en faisant un effort pour écouter.

— Je ne comprends pas les mots, chuchote Mateo.

— Moi non plus. C'est une voix qui fait un bruit bizarre, dit Évelyne. Là, ça doit être la porte du local de monsieur Lanteigne, ajoute-t-elle, en jetant un coup d'œil vers le fond du couloir sombre.

Mateo roule de grands yeux. Le cachot! pense-t-il. Il y a quelqu'un prisonnier dans le cachot!

— Mateo! s'écrie Évelyne. Le pot!

Trop tard. Le pot vient de lui glisser des mains. Évelyne plonge pour le rattraper, mais c'est inutile, le pot éclate sur le plancher de ciment. Dans le mouvement, Évelyne se frappe contre Mateo et tous deux tombent au sol dans un fouillis de bras et de jambes.

Brusquement, une porte s'ouvre.

— Qui est là?

Dans l'obscurité, cette voix résonne comme un rugissement colérique.

Chapitre 3

Odeur d'intrigue

—**M**e... Me... Monsieur Lanteigne! couine Mateo, tandis qu'Évelyne et lui-même s'empressent de se relever.

— Qui est là? rugit de nouveau monsieur Lanteigne.

Évelyne et Mateo poussent un petit rire nerveux.

— Nous... euh... Nous... commence Mateo.

— ... avons besoin d'un balai! complète Évelyne, dans un hoquet.

Sans un mot de plus, tous deux se précipitent dans l'escalier et traversent le couloir à fond de train en direction de leur classe, sans attendre le balai.

— Whoa, cow-boys! Où est le feu?

Dans une longue glissade, Évelyne et Mateo appliquent les freins à fond pour éviter d'entrer en collision avec monsieur Godbout, le directeur de l'école.

— Nous... euh... Nous... halète Mateo, à bout de souffle.

— ... avions besoin d'un balai! lance Évelyne.

— Je vois, sourit monsieur Godbout. Et en avons-nous trouvé un?

— Non... Oui! Je veux dire non, bafouille Mateo.

— Nous avons demandé à monsieur Lanteigne, dit Évelyne.

— Hu-huum. Et sommes-nous descendus au sous-sol?

— Oui. Non. Je veux dire... commence Mateo.

— Whoops! l'interrompt Évelyne. Nous avons *oublié* le balai, dit-elle, en se frappant le front, sous le regard médusé de Mateo.

— Eh bien, nous devrions savoir que ce genre de galopade peut se conclure en accident, dit monsieur Godbout. Et nous ne voulons pas d'un accident dans notre école, non?

— Non, monsieur. Nous allons ralentir, dit Mateo.

— Que voilà une nouvelle réjouissante! dit monsieur Godbout, avec un sourire. Ah, justement, voici monsieur Lanteigne.

Évelyne et Mateo tournent la tête et aperçoivent, à l'autre bout du couloir, le concierge qui fonce vers eux.

— Avec votre permission, monsieur, pouvons-nous retourner en classe?

— Bien sûr. Mais au petit trot. Fini le grand galop.

Quand Évelyne et Mateo font irruption dans la classe, madame Lacasse interrompt les explications qu'elle était en train de donner au tableau et les accueille en retroussant les sourcils. Autour de son bureau, le plancher est couvert d'une épaisse couche de terre brune.

— Seigneur, Mateo, tu en as mis du temps! dit-elle, d'un ton sec. Et toi, Évelyne, où étais-tu passée?

— Il y avait la file aux toilettes.

— Hum-um, acquiesce madame Lacasse, en fronçant les sourcils. Mateo, où est le balai?

Mateo ravale sa salive sous le regard courroucé de madame Lacasse. Sur ces entrefaites, on frappe à la porte.

— Oh Seigneur! Voilà monsieur Lanteigne, maintenant, s'exclame madame Lacasse. Bonjour! Entrez, je vous en prie. Nous avons grand besoin d'un petit coup de balai.

Comme une charge de cavalerie, monsieur Lanteigne fonce dans la classe avec son balai et se met à s'activer furieusement.

Mateo se laisse glisser sur sa chaise et se cache derrière son livre de mathématique pour observer la scène.

— Il a l'air bougon, chuchote Évelyne, qui occupe la rangée devant celle de Mateo.

— Il a l'air plus que bougon. Il a l'air furieux, murmure Mateo.

— De toute manière, pour le moment nous sommes saufs, dit Évelyne.

— Pour le moment, réplique Mateo, en disparaissant derrière son livre de math.

* * *

Dans le tintamarre de la cafétéria, Mateo s'installe à sa place habituelle et réserve la place voisine pour Évelyne. Depuis leur première année, ils s'assoient toujours au même endroit. Les plus grands s'installent habituellement à l'arrière de la salle — ils sont bruyants et s'attirent régulièrement des ennuis — et les plus petits devant, face au comptoir. Évelyne et Mateo, eux, ont choisi une table entre les deux, en plein centre.

— Hé! Mateo, dit Évelyne, en soulevant le couvercle de son plateau. Tu devrais t'abonner au service de cafétéria. Regarde-moi ces spaghettis! Yum, yum, fait-elle, en lui passant son assiette sous le nez. Et toi, qu'est-ce que tu manges?

— Jambon et moutarde. Tu veux faire un échange?

— J'en doute! dit Évelyne, en plissant le nez. Qu'est-ce que tu as d'autre?

— Voyons voir... dit Mateo, en fouillant dans son sac à lunch. Des biscuits?

— Ceux que ta mère fait?

— Fabrication maison. Sens, dit Mateo, en ouvrant l'emballage et en le passant sous le nez d'Évelyne. Yum, yum!

— D'accord. Je te donne un peu de mon spaghetti en échange d'une paire de biscuits.

— Marché conclu.

— Alors, demande Évelyne, en croquant dans un biscuit, que penses-tu de tout ça?

— Je ne sais pas. Et toi, qu'en penses-tu?

— Je crois qu'il se passe des choses bizarres dans ce sous-sol. Tu me suis? C'était quoi cette voix? Et ce langage?

— Je n'en sais rien, dit Mateo, en haussant les épaules.

Tout en discutant, il lance le papier d'emballage de son sandwich au-dessus de la tête d'Évelyne. La boule de papier aboutit directement dans la poubelle. Deux points!

— Je n'en sais rien, et je ne suis pas certain d'avoir envie de le savoir.

— Écoute, Mateo. Monsieur Lanteigne avait l'air très mécontent de nous trouver là, dit Évelyne, en passant le reste de son spaghetti à Mateo. Si tu me posais la question, je te dirais qu'il y a une opération secrète qui se prépare dans ce sous-sol.

— Et quel genre d'opération secrète?

— Du genre «fumeuse et bizarre».

— Tu es encore en train de te laisser emporter par ton imagination, réplique Mateo, en tournant les spaghettis sur sa fourchette. Il n'y a probablement rien de fumeux ni de bizarre.

— Me suis-je déjà trompée sur ce genre de choses? demande Évelyne, en fixant Mateo dans le blanc des yeux.

— Oh! oui. Et plusieurs fois.

— D'accord, mais cette fois, j'ai raison. Je sens qu'il se passe quelque chose de bizarre dans ce sous-sol, et je vais retourner jeter un coup d'œil de plus près. Tu viens avec moi?

Mateo lève les yeux au ciel en poussant un long soupir.

— Comme quelqu'un doit t'empêcher d'avoir des ennuis, j'ai l'impression que je vais devoir t'accompagner.

— Ça, c'est bien dit, fait Évelyne, avec un sourire en coin. Maintenant, comment faisons-nous pour descendre au sous-sol sans nous faire repérer? À chaque fois que nous avons une bonne idée, on dirait que monsieur Godbout s'amuse à nous mettre les bâtons dans les roues.

Évelyne et Mateo consacrent donc le reste de leur pause repas à mettre leur stratégie au point.

Chapitre 4

Manœuvre de diversion

Comme à tous les jours, la cloche sonne à trois heures précises. Cependant, Évelyne et Mateo ne font pas ce qu'ils ont coutume de faire. Habituellement, ils vont emprunter un ballon et s'entraînent à enfiler des paniers pendant une bonne demi-heure avant d'enfourcher leurs bicyclettes et de rentrer chez eux.

Aujourd'hui, ils vont à la bibliothèque.

— Où est-il, demande Mateo, en jetant un

coup d'œil par la fenêtre en direction du stationnement.

— Là. Le voilà qui arrive, dit Évelyne.

Tous les mardis, monsieur Godbout quitte l'école à 15 h 05 pour se rendre à une réunion de la commission scolaire.

— Assure-toi qu'il soit vraiment parti, dit Mateo.

— Ça y est, il part, chuchote Évelyne, pendant que la voiture noire sort du stationnement et disparaît au bout de la rue.

Quelques minutes plus tard, ils traversent le couloir à pas de souris pour se rendre dans la vieille section de l'école. Évelyne ouvre la porte du sous-sol, puis s'arrête.

— J'entends encore cette voix, chuchote-t-elle. Écoute.

Mateo et Évelyne passent tous deux la tête dans l'entrebâillement de la porte.

Le son d'une voix bizarre monte faiblement jusqu'au haut de l'escalier. Ce n'est pas la voix de monsieur Lanteigne. Du moins, ça ne ressemble pas à sa voix.

— Qui est-ce? murmure Mateo.

— Qu'est-ce que c'est? chuchote Évelyne. Je ne comprends rien.

— Allons-y, Évelyne, dit Mateo, d'un ton nerveux. Il n'y a pas de temps à perdre. Tu sais ce que tu as à faire.

— Ça me semble bien sombre en bas.

— Tu n'es pas forcée de descendre jusqu'en bas.

— Je sais.

Du revers de la main, Évelyne dégage sa mèche de cheveux et commence tout doucement à descendre l'escalier. Elle entend les marches craquer sous ses pieds.

— Monsieur Lanteigne? appelle-t-elle.

— Il n'a pas entendu, lui dit Mateo, après un petit moment d'attente. Appelle-le encore.

— Monsieur Lanteigne?

— Plus fort.

— Monsieur Lanteigne! crie Évelyne.

La voix bizarre se tait. Le silence envahit le sous-sol. Ensuite, ils entendent un bruit de chaise traînée sur le plancher.

— Cette fois, je crois qu'il m'a entendue, dit Évelyne, en relevant la tête vers Mateo.

— Qui est là? demande une grosse voix, derrière la porte close du local du concierge. Il y a quelqu'un?

— C'est Évelyne, monsieur Lanteigne.

— Qu'est-ce que tu veux? rugit le concierge.

— Eh bien, euh... il y a une urgence là-haut. Je crois que vous feriez bien de monter, dit Évelyne, en jetant un coup d'œil vers le haut de l'escalier pour s'assurer que Mateo est toujours là.

— Quel genre d'urgence? demande monsieur Lanteigne.

— Je crois qu'une des cuvettes déborde. Il y a de l'eau partout sur le plancher des toilettes des filles.

— Psst... qu'est-ce qu'il fait maintenant? chuchote Mateo.

— Il bouge des trucs. J'entends clinguer toutes sortes de choses, répond Évelyne, en chuchotant elle aussi.

— Clinguer? dit Mateo.

— Ouais! Des bruits qui font cling-cling-cling.

Tout à coup, monsieur Lanteigne apparaît au pied de l'escalier, tenant une vadrouille et une chaudière dans son énorme main. De l'autre main, il tire sur sa grosse barbe en regardant Évelyne d'un air renfrogné.

— Allons-y, dit-il. Je n'ai pas toute la journée devant moi.

Mateo a tout juste le temps de tourner le coin du mur que monsieur Lanteigne jaillit de la porte du sous-sol.

— Fichus enfants! marmonne-t-il. Ils ont encore bouché les toilettes.

Après un petit moment, Mateo entend Évelyne l'appeler en chuchotant :

— Viens! C'est le moment!

Il sort vivement de son coin, s'engouffre dans l'escalier et descend vers l'obscurité du sous-sol.

Chapitre 5

Voix bizarre et bizarres de têtes

—**O**ù est le commutateur? demande Mateo.

— Je ne sais pas. Tâte un peu autour, pour voir, dit Évelyne, en glissant la main sur le mur avant de pousser un gloussement de frayeur.

— Quoi?

— J'ai touché une toile d'araignée.

— Les araignées ne te feront pas mal, dit Mateo, avec un soupir agacé.

— Trouvons le local de monsieur Lanteigne, dit Évelyne, en frissonnant. Je crois que c'est par ici. Où es-tu?

— Juste devant toi, répond Mateo, en agitant les bras dans l'obscurité. Nous aurions dû emporter une lampe de poche. Je n'avais pas prévu qu'il allait éteindre toutes les lumières.

— Peu importe. Allez, viens! C'est par là, dit Évelyne, en entraînant Mateo par la manche.

— Tu marches trop vite, gémit-il. Je ne sais même pas dans quelle direction tu vas.

Tout en se dirigeant à tâtons dans le noir, le bras d'Évelyne heurte une boîte.

— Oups! fait-elle. Essayons de l'autre côté.

— Chut!... Écoute! dit Mateo, d'une voix étouffée.

— Écoute quoi?

— Cesse de parler à tue-tête! Tais-toi!

Soudainement, Évelyne entend elle aussi. Des pas. Des pas qui s'approchent. Des pas qui font vibrer le plancher au-dessus de leurs têtes.

— Monsieur Lanteigne! s'écrient Évelyne et

Mateo, tout en se hâtant de trouver un endroit où se cacher.

— Par ici! lance Mateo, qui ouvre une porte et entraîne Évelyne avec lui.

— Toilette bouchée. Toilette bouchée, mon œil! marmonne monsieur Lanteigne qui descend lourdement, son seau heurtant chaque marche de l'escalier. Fichus enfants! grogne-t-il, en passant devant la cachette d'Évelyne et Mateo.

Finalement, il disparaît dans son local et claque la porte derrière lui.

Pendant un long moment, Évelyne et Mateo s'appliquent à bouger le moins possible.

— Écoute, dit finalement Mateo. C'est encore cette voix bizarre, chuchote-t-il, en tendant l'oreille.

— Mateo, il faut que tu voies ça, dit Évelyne, qui a déjà commencé à explorer le dépôt qui leur sert de cachette.

— Qu'est-ce que c'est? demande Mateo.

— Ça, ici... il faut que tu voies ça!

— Évelyne! J'essaie d'entendre.

31

— Bon sang! Mais c'est vraiment...

— Peux-tu cesser de crier? dit Mateo, en se tournant brusquement vers Évelyne, agacé.

Subitement, il écarquille les yeux.

— Je ne peux pas le croire! murmure-t-il, en ravalant sa salive. Qu'est-ce que c'est?

— Je n'en sais rien, mais ils sont vraiment très laids.

Le local où ils se sont réfugiés est ceinturé de tablettes couvertes de petits pots de verre. Au milieu de la pièce, sur le plancher, sont regroupés d'autres pots, plus gros, remplis de liquide où flottent des trucs étranges. Des trucs étranges, avec de bizarres de têtes.

— Je n'ai jamais rien vu de semblable! On dirait des extraterrestres. Regarde les oreilles de celui-ci! s'exclame Évelyne, en s'approchant pour jeter un coup d'œil de près. Regarde Mateo. Regarde comme les oreilles sont longues!

— Je n'aime pas cet endroit, dit Mateo.

— Lui aussi a de longues oreilles, remarque Évelyne, en examinant un autre pot.

— Évelyne, je n'aime pas cet endroit. Vaudrait mieux partir tandis qu'on en a encore la chance, insiste Mateo.

— Nous sommes descendus ici pour découvrir ce qui se passe, alors tiens le coup, tu veux bien? réplique Évelyne, d'un ton sec, en élevant la voix.

— Silence! Il va t'entendre, chuchote Mateo.

Évelyne lui lance un regard d'acier, puis retourne à l'examen de ses pots.

— Très intéressant.

— C'est peut-être un genre de lapin, suggère Mateo, tout en se dandinant de gauche à droite, les yeux rivés sur la porte. S'il fallait qu'il nous trouve ici...

— Tu as déjà vu un lapin avec des griffes comme celles-là? réplique Évelyne, en fronçant les sourcils.

— Des griffes?

— Des griffes. Regarde.

Mateo s'approche du gros pot pour y jeter un coup d'œil de plus près et sursaute brusquement.

— J'ai l'impression qu'il m'a fait un signe.

Soudainement, le son métallique de la voix bizarre se fait de nouveau entendre. Ensuite, on entend la voix de monsieur Lanteigne.

— Ce truc m'a *vraiment* fait un signe... dit Mateo, qui est retourné à l'examen de son pot.

Mais Évelyne est trop occupée à écouter les voix pour prêter attention à Mateo.

— Si seulement je pouvais comprendre ce qu'ils se disent... Et si c'était une langue d'extraterrestres? glousse-t-elle, en écarquillant subitement les yeux. Les trucs, les choses dans ces bouteilles... ça pourrait être des bébés extraterrestres! s'exclame-t-elle, en levant les bras en l'air.

— Sortons d'ici, dit Mateo, en sentant un frisson monter le long de son dos.

À pas de loup, Évelyne et Mateo sortent de la pièce et rebroussent chemin. Rendus au pied de l'escalier, ils prennent leur élan et grimpent les marches à toute vitesse.

Tandis qu'ils traversent le couloir en courant, ils entendent le fracas d'une porte qui s'ouvre, puis la grosse voix de monsieur Lanteigne qui tonne : «Qui est là?»

— Continue de courir! s'écrie Évelyne.

— C'est exactement ce que je fais! réplique Mateo, qui passe les portes de l'école en coup de vent, juste derrière elle.

À toute vitesse, ils récupèrent leurs bicyclettes, les enfourchent et pédalent comme des diables pendant une bonne dizaine de coins de rues, sans se retourner ni ralentir.

Chapitre 6

Des envahisseurs à l'école

Rendus chez Mateo, ils s'arrêtent dans un crissement de pneus, laissent tomber leurs bicyclettes au sol et grimpent se mettre à l'abri dans la petite cabane qu'il s'est construite dans l'arbre, derrière la maison. Ils retirent l'échelle et ferment la porte derrière eux.

— Crois-tu que monsieur Lanteigne nous a suivis? demande Évelyne, à bout de souffle.

— Je ne vois personne, dit Mateo, en secouant

la tête et en s'assoyant sur une vieille caisse de pommes.

— Nous devons retourner au sous-sol, continue Évelyne, les yeux brillants.

— Exactement ce que je ne voulais pas t'entendre dire, répond Mateo, les yeux ronds.

— Allez, Mateo! On nage en plein mystère! Il faut découvrir ce qui se passe! dit Évelyne, en écarquillant subitement les yeux. Si monsieur Lanteigne écoute ce langage d'extraterrestre, c'est peut-être qu'il *est* lui-même un extraterrestre!

Mateo regarde Évelyne en faisant la moue.

— Il a peut-être été hypnotisé, poursuit Évelyne, en agitant son index sous le nez de Mateo. Ils doivent l'avoir emmené à bord d'un vaisseau spatial pour lui enseigner leur langage.

— Mais pourquoi?

— Ils veulent s'emparer de l'école! s'écrie Évelyne, après un moment de réflexion.

— Ils veulent quoi?

— S'emparer de l'école! Ils cultivent des

extraterrestres dans le sous-sol. Rappelle-toi l'émission que nous avons vue à la télé... Celle où on disait qu'il pourrait y avoir des extraterrestres sur Terre. C'est comme ça qu'ils vont s'emparer de la planète. En se glissant à l'intérieur de gens qui nous ressemblent.

— Je m'en souviens, dit Mateo. Mais pourquoi voudraient-ils s'emparer de l'école?

— Ils veulent peut-être apprendre quelque chose.

— Mais qu'est-ce qu'ils pourraient bien apprendre qu'ils ne sachent déjà? J'ai toujours cru que les extraterrestres étaient plus intelligents que les humains.

— Je ne sais pas ce qu'ils veulent apprendre, réplique Évelyne, en écartant sa mèche de cheveux. Peut-être veulent-ils apprendre notre langue. Comme ta sœur Zoé qui apprend l'espagnol, tu ne crois pas?

— Évelyne, si ce que tu dis est vrai, alors n'importe qui à l'école peut être un extraterrestre, dit Mateo, en fronçant les sourcils.

— C'est possible, rétorque Évelyne. Qu'est-ce que tu penses de Robert Corbeil? ajoute-t-elle après un moment de réflexion. Il est plutôt bizarre, tu ne trouves pas?

— C'est vrai, acquiesce Mateo. Il mange les gouttes de colle durcie et se ronge les ongles. En plus, ses yeux deviennent tout croches chaque fois qu'il te regarde.

— Exact! Et Mireille Filiatrault? continue Évelyne. Tu n'as jamais remarqué qu'elle savait toujours toutes les réponses aux questions? Comment fait-elle? Il y a monsieur Godbout aussi. Il parle d'une manière tellement bizarre, et il n'arrête pas de nous surveiller. Et madame Lacasse? ajoute Évelyne. Elle pourrait en être, elle aussi.

— Madame Lacasse?

— Ouais, insiste Évelyne, le regard dans les nuages. Elle est toujours en train de taper sur son bureau avec son crayon. Et quand elle a fini de taper, elle met son crayon sur l'oreille droite et elle le laisse là, comme un signe. C'est très étrange.

— Elle tape peut-être un code secret, dit Mateo. Frédéric Weber m'a déjà dit que son père passait son temps à taper des codes sur sa radio à ondes courtes.

— Sur sa radio *comment*? demande Évelyne.

— Sa radio à ondes courtes. Son père s'en sert pour parler à toutes sortes de gens partout dans le monde.

— Et il utilise un code?

— Ouais, dit Mateo, en haussant les épaules. Je ne me souviens plus comment ça s'appelle. Nous pourrions vérifier auprès de Frédéric.

— Et nous pourrions savoir si madame Lacasse tape des messages secrets, conclut Évelyne. Il y a peut-être d'autres extraterrestres dans la classe, et c'est comme ça qu'ils communiquent les uns avec les autres. Tu vois, ils ne peuvent tout de même pas parler en langage d'extraterrestre, tu comprends?

Ils restent silencieux durant quelques minutes, puis Mateo reprend :

— D'accord, mais dans ce cas, comment

font-ils pour introduire les extraterrestres au sous-sol?

— Ils doivent les faire entrer en secret, probablement durant la nuit, dit Évelyne, en se levant pour s'étirer. Alors? Allons-nous communiquer avec eux? Ou à tout le moins essayer de comprendre leur langage secret?

— Je ne sais pas, Évelyne. Je ne suis même pas certain de croire en cette histoire. Tout ça me semble tellement bizarre.

— Hé, la nouille! appelle une voix en contrebas. Descends de ta maison de poupée et viens mettre la table. Maman va bientôt rentrer.

— Parlant d'extraterrestres... dit Mateo, avec un signe de tête en direction de sa sœur Zoé. J'arrive! répond-il.

— Allez, Mateo, nous devons retourner au sous-sol, dit Évelyne, en descendant de la cabane. Je peux compter sur toi?

— Je vais y repenser, dit Mateo, en se grattant la tête. Je te donnerai ma réponse demain.

* * *

Ce soir-là, au dîner, Mateo dit à sa mère :

— Je n'ai pas tellement faim.

— Absurde, répond sa mère. Tu dois être affamé.

Tandis que madame Dias prépare l'assiette de Mateo, Zoé parle sans arrêt : de ce que son professeur a fait, de ce qu'il a dit et de ce qu'il n'a pas dit; de ce que les garçons ont fait, de ceux que les filles aiment bien et de ceux qui se sont attiré des ennuis.

— M'man, tu crois que les extraterrestres existent? demande Mateo, en interrompant ce babillage.

Une seconde, Zoé reste interdite, la bouche ouverte en plein milieu de sa phrase.

— Excuse-moi, dit-elle, reprenant ses sens, mais je te ferai remarquer que j'étais en train de parler.

— Mateo, ce n'est pas très poli d'interrompre ta sœur, fait remarquer madame Dias.

— Mais c'est important, insiste Mateo, d'un ton ferme.

— Et c'était quoi ta question? demande madame Dias.

Du bout de sa fourchette, Mateo joue distraitement avec les petits pois dans son assiette avant de reprendre sa question :

— Crois-tu aux extraterrestres?

Zoé laisse bruyamment tomber sa fourchette dans son assiette et éclate de rire.

— Zoé, s'il te plaît... tranche madame Dias, avant de se tourner vers son fils. Eh bien, tu sais Mateo, je crois que certaines personnes croient qu'ils existent.

Zoé ramène la peau de son visage vers l'arrière jusqu'à ce que ses yeux ne soient plus qu'une mince fente.

— Je suis une extraterrestre, dit-elle, en prenant une drôle de voix.

— Zoé, cesse d'embêter ton frère! Et toi, Mateo, mange!

— M'man, est-ce que je peux sortir de table? Sans blague, je n'ai pas très faim, dit Mateo.

Madame Dias allonge le bras et touche le front de Mateo.

— Tu n'as pas de fièvre. D'accord, monte à ta

chambre et termine tes devoirs. J'irai te voir plus tard.

En montant à sa chambre, Mateo jette un coup d'œil par la lucarne de l'escalier. Une camionnette roule lentement dans la rue et, distraitement, il regarde les lettres peintes sur le côté.

— Lacasse, récupération de bouteilles et de pots de verre, lit-il, en manquant de s'étouffer.

Il grimpe en vitesse à sa chambre, attrape ses jumelles et se précipite à la fenêtre pour mieux voir le véhicule. Il est quasi certain de reconnaître la personne assise sur le siège du passager : madame Lacasse!

Chapitre 7

Communication difficile

Le lendemain matin, fidèle au rendez-vous quotidien, Évelyne attend au bout de la rue.

— Hé, Évelyne! s'écrie Mateo, en pédalant plus vite pour la rejoindre.

Arrivé à sa hauteur, il lui raconte l'histoire de la camionnette.

— Quelle bonne couverture! s'exclame Évelyne, les yeux ronds d'excitation.

— Quelle couverture?

— Monsieur Lacasse ramasse les pots et les donne à madame Lacasse. Madame Lacasse les remet ensuite à monsieur Lanteigne qui les range au sous-sol à l'abri des regards indiscrets. Monsieur Godbout garde tout le monde à l'œil et s'assure que personne n'évente le secret. Seigneur! De mieux en mieux, comme histoire!

— Ensuite, quoi? demande Mateo.

— Ensuite, continue Évelyne, après un moment de réflexion, monsieur Lanteigne converse avec les extraterrestres et ils conviennent d'un rendez-vous. Ils lui remettent alors ces choses bizarres que nous avons vues dans les bocaux, et ces choses bizarres se transforment en personnes.

— C'est incroyable! s'exclame Mateo. Voilà que cette histoire commence à avoir du sens.

— Ça veut dire que je peux compter sur toi? demande Évelyne, avec un sourire en coin.

— Je crois que oui, répond Mateo.

— Super! s'exclame Évelyne, en lui claquant la main. J'étais *certaine* que tu prendrais la bonne décision! Allez, vite à l'école!

Évelyne et Mateo viennent à peine de prendre leurs places que madame Lacasse entre en classe avec son habituelle pile de feuilles dans une main et son café dans l'autre.

— Bonne journée, dit-elle. J'espère que vous n'avez pas oublié votre examen de mathématiques. Vous avez une minute pour aiguiser vos crayons.

— Concours de math? marmonne Évelyne.

Madame Lacasse se met à distribuer les questionnaires et le silence s'installe dans la classe. Mateo écrit son nom, puis jette un coup d'œil autour de la classe. Tout paraît normal. Madame Lacasse est à son bureau, absorbée par la lecture d'un manuel de classe. Mateo lit la première question et commence à écrire.

Quelques minutes plus tard, madame Lacasse commence, tout doucement, à taper sur son bureau avec son stylo. Mateo relève la tête et touche le dos d'Évelyne avec son crayon.

— Je l'entends, moi aussi, lui répond-elle, en chuchotant.

— C'est le code, dit Mateo, en se penchant

vers l'avant. Elle essaie peut-être de découvrir s'il y a d'autres extraterrestres dans la classe. Essaie de taper quelque chose, toi aussi.

— D'accord.

— Évelyne? dit madame Lacasse, en levant les yeux vers elle. Il y a un problème?

— Non, madame Lacasse, répond Évelyne. Pas de problème.

Après un petit moment, le bruit reprend. *Tap... tap-tap-tap...*

Lentement et discrètement, Évelyne répond. *Tap... tap-tap-tap...*

Mateo cesse d'écrire et attend.

Madame Lacasse tape de nouveau. *Tap... tap-tap... tap...*

Évelyne respire profondément et lui répond encore. *Tap... tap-tap... tap...*

Madame Lacasse relève la tête et jette un regard circulaire dans la classe tout en tapant de nouveau.

Cette fois, Mateo entre dans la danse. *Tap... tap-tap-tap...*

Un à un, les autres élèves cessent d'écrire et se mettent à regarder Évelyne et Mateo.

Madame Lacasse se lève, tout en tapant une nouvelle séquence. *Tap... tap... tap... tap... tap-tap.*

Encore une fois, Évelyne et Mateo lui renvoient son message. Lentement, madame Lacasse met son crayon sur son oreille et vient se placer devant son bureau. Comme elle, Évelyne et Mateo placent tous deux leur crayon sur leur oreille.

— Qu'est-ce qui se passe ici? demande madame Lacasse, en s'approchant du pupitre d'Évelyne.

— Rien, répond Évelyne, en levant les yeux.

— Pourquoi fais-tu du bruit avec ton crayon? lui demande madame Lacasse.

— Moi, je fais du bruit avec mon crayon? dit Évelyne, l'air penaud.

— Oui, tu fais du bruit avec ton crayon. Et tu le sais parfaitement bien, dit madame Lacasse. Tu as dérangé toute la classe, et maintenant tu es impolie, continue-t-elle, en pointant vers la porte. Va rendre visite à monsieur Godbout, nous verrons bien ce qu'il dira de tout ça. Et toi aussi, Mateo.

— Je crois qu'elle est sérieuse, chuchote Évelyne, à l'intention de Mateo.

— Crois-tu que nous avons réussi à communiquer avec elle? demande Évelyne, en traversant le couloir.

— Ça, pour avoir communiqué, nous avons communiqué! soupire Mateo. Mais je crois que notre message n'était pas clair, conclut-il, en se laissant lourdement tomber sur le banc, à la porte du bureau de monsieur Godbout.

— Je ne comprends pas. Je suis certaine qu'elle tapait une sorte de code, dit Évelyne, en prenant place à son tour sur le banc.

— Ouais, c'était un code, mais comment pouvons-nous communiquer avec elle si nous ne comprenons pas ce qu'elle tape? demande Mateo.

Sur ces entrefaites, monsieur Godbout sort de son bureau et, d'un geste de la main, les invite à entrer.

— Alors, cow-boys. Nous avons dû troubler la paix publique, sinon nous ne serions pas ici, dit monsieur Godbout, en prenant place dans son grand fauteuil tout en les regardant droit dans les yeux. Lequel de vous deux est le chef de la bande?

Mateo jette un coup d'œil vers Évelyne tout en retroussant un sourcil. Évelyne, quant à elle, hausse les épaules.

— Donc, sourit monsieur Godbout, nous avons affaire à la bande d'Évelyne Degrosbois, c'est bien ça? Alors, Évelyne Degrosbois, d'après mes souvenirs, c'est la première fois que ta bande visite mon bureau.

— Ce n'est pas une bande, monsieur Godbout, commence à expliquer Évelyne.

— Mais bien sûr que c'est une bande, tranche monsieur Godbout, en souriant.

Là-dessus, il fait sauter le couvercle d'un pot de bonbons à la gelée et s'en verse une bonne douzaine dans la main. Mécaniquement, un à une, il les porte à sa bouche : un, deux, trois, quatre... De toute évidence, il attend une réponse.

— Nous, euh... nous avons simplement fait du bruit avec nos crayons, répond finalement

Évelyne. C'est vrai, monsieur. Nous avons juste tapé sur nos pupitres avec nos crayons pendant l'examen de math.

— Nous avons tapé sur nos pupitres avec nos crayons? reprend monsieur Godbout, l'air intéressé. Et pourquoi faisions-nous cela?

— Madame Lacasse aussi tapait sur son bureau avec son crayon, dit Évelyne, en se tortillant sur sa chaise. Et nous avons essayé de...

Là-dessus, Mateo l'interrompt d'un coup de coude.

— ... Et nous avons essayé de l'imiter, dit finalement Évelyne, en complétant sa phrase.

— Rien d'autre? demande monsieur Godbout.

— Non, non, pas vraiment, dit Évelyne, en secouant la tête. Elle a aussi dit que j'avais été impolie.

— Je vois, dit monsieur Godbout en avalant le dernier bonbon à la gelée. Donc, cow-boys, nous devons des excuses à madame Lacasse, et je présume qu'elle nous gardera en retenue à la fin de la journée. Maintenant, si j'en revois un de vous deux dans mon bureau, peu importe lequel, il sera de corvée de poubelles. Nous savons ce que ça veut dire, non?

Évelyne et Mateo acquiescent d'un signe de tête. Une fois, c'est arrivé à deux de leurs amis. Ils avaient dû prendre chacun un grand sac à ordures et ramasser tous les papiers sur la pelouse de l'école, de même que le long de la clôture du terrain de jeux. Ce n'est pas un travail agréable. Mais, au moins, ce n'était pas le cachot.

— C'est bien ce que je croyais. Maintenant, nous retournons en classe au petit trot, conclut monsieur Godbout.

— Sans galoper, ajoute Évelyne, à voix basse.

Évelyne et Mateo reviennent en classe au moment où madame Lacasse ramasse l'examen de géométrie.

— Vous deux, je vous reverrai à trois heures, dit-elle. Vous aurez tout le temps voulu pour reprendre votre examen.

* * *

À trois heures vingt-cinq, Mateo lève les yeux pour regarder l'horloge.

— Il reste encore cinq minutes, dit madame Lacasse, assise à son bureau.

Sur ces entrefaites, on frappe à la porte. Madame Lacasse repousse sa chaise et se lève pour aller répondre à la porte.

— Continuez d'écrire, dit-elle, en ouvrant la porte. Monsieur Lanteigne! Comment allez-vous?

— As-tu terminé? chuchote Mateo, en touchant le dos d'Évelyne du bout de son crayon.

— Presque, répond-elle, en chuchotant elle aussi. Je te parie qu'ils parlent des pots de verre. Ils doivent avoir une nouvelle cargaison d'extraterrestres à descendre au sous-sol.

— À moins qu'ils ne parlent de nous, dit Mateo.

— C'est ça! Tu l'as, Mateo! Tu as raison! dit Évelyne, en roulant de grands yeux. C'est à nous qu'ils en veulent!

Chapitre 8

Signaux intergalactiques?

Le lendemain, c'est samedi. Évelyne et Mateo se lèvent tôt et se rendent chez Frédéric à bicyclette.

— Entrez, bâille Frédéric, en leur ouvrant la porte. P'pa est dehors, dans son cabanon. Je lui ai dit que vous veniez.

Le père de Frédéric a installé son équipement de radio amateur dans un cabanon situé dans un coin reculé de sa propriété. La petite construction est surmontée d'une tour énorme d'où partent toutes sortes de fils allant dans toutes les directions.

— Il peut vraiment parler à des gens de partout dans le monde à partir de ce petit hangar? demande Mateo.

— C'est ce qu'il prétend, répond Frédéric, en ouvrant la porte du cabanon. Salut, p'pa.

Monsieur Weber quitte momentanément son équipement des yeux et salue amicalement ses visiteurs d'un geste de la main. Il continue ensuite à parler dans son microphone pendant quelques secondes avant de couper la communication.

— Alors, vous trois, ça va? demande-t-il, en retirant ses écouteurs. Enchanté de faire votre connaissance, euh...

— Moi, c'est Évelyne, dit-elle, en serrant la main de monsieur Weber. Et voici Mateo.

— Bienvenue dans mon petit royaume, Évelyne et Mateo. Alors, on m'a dit que vous vouliez avoir des informations sur le code morse?

— Nous nous demandions si vous ne pourriez pas nous l'enseigner, dit Évelyne, approchant une chaise près de monsieur Weber.

— Eh bien, vous savez, dit monsieur Weber, en souriant, ce n'est pas si facile à apprendre. Il faut un certain temps et beaucoup de pratique. Attendez, je vais vous montrer, dit-il, en ouvrant un classeur dont il tire un épais dossier. Ça doit être quelque part ici... Ah! Nous y voilà! fait-il, en dépliant une grande affiche de papier. Voici l'alphabet.

— Eh bien, on peut dire que ça a l'apparence d'un langage d'extraterrestre, dit Évelyne, en fixant la série de points et de lignes.

— Ah, ça, c'est le moins qu'on puisse dire! réplique monsieur Weber.

— Et comment ça fonctionne? demande Évelyne, en jetant un petit coup d'œil de travers vers Mateo.

— Ça c'est un A : un point, un trait, dit monsieur Weber, tout en tapant sur sa table. Et trait, point, point, point, c'est un B.

— Pourquoi les gens utilisent-ils le code

morse? Ils ne pourraient pas tout simplement se parler les uns les autres? demande Mateo.

— Le code morse voyage mieux que la voix, explique monsieur Weber. En particulier sur de très longues distances.

— Alors, si vous vouliez contacter quelqu'un qui habite vraiment *très très loin*, vous utiliseriez le code morse? dit Évelyne, en jetant un nouveau coup d'œil vers Mateo.

— Exact, répond monsieur Weber. Il est possible d'envoyer des messages à des milliers de kilomètres. Il est également préférable d'utiliser le code morse lorsque les conditions climatiques sont mauvaises. Le message voyage plus clairement que la voix humaine.

— Wow! Il y en a des boutons, des cadrans et des trucs! s'exclame Mateo, en regardant de plus près l'équipement installé sur la table de monsieur Weber.

— C'est un passe-temps formidable... commence monsieur Weber, qui est interrompu par une voix qui jaillit subitement du haut-parleur.

Monsieur Weber fait pivoter son fauteuil, puis attrape son crayon et un bloc-notes.

— Qu'est-ce que c'est? demande Évelyne.

— Une petite seconde, dit monsieur Weber, en remettant ses écouteurs.

— C.Q.... C.Q.... C.Q.... grésille une voix dans le haut-parleur.

— C.Q.? Qu'est-ce que ça veut dire? demande Évelyne.

— Fouille-moi, réplique Frédéric, en haussant les épaules. P'pa passe beaucoup de temps ici. Parfois, il parle aux gens par le micro, d'autres fois, il tape des messages en morse avec ce petit appareil-là, qui s'appelle un manipulateur, dit-il, en pointant un petit objet sur la table.

Entre-temps, monsieur Weber termine sa communication.

— Eh bien! On peut dire que celui-là venait de loin! s'exclame-t-il, en retirant ses écouteurs. Maintenant, voyons voir si nous pouvons trouver des messages en morse, dit-il.

Il se met à manipuler ses boutons et ses

cadrans jusqu'à ce qu'un faible bruit saccadé se fasse entendre.

— Pas mal, dit-il. Mais voyons si nous ne pouvons pas trouver mieux.

— Recevez-vous des messages d'autres galaxies? demande Évelyne, qui reçoit aussitôt un léger coup de coude de Mateo. Ce que je voulais dire, se reprend-elle, c'est pourriez-vous recevoir des messages s'il y avait des habitants dans d'autres galaxies?

— Celui-ci sonne comme s'il venait d'une autre galaxie! s'exclame monsieur Weber, tandis qu'une voix bizarre sort du haut-parleur.

À nouveau, il replace ses écouteurs sur ses oreilles et se met à prendre des notes.

— Est-ce qu'il blague? demande Mateo, en regardant Frédéric.

— Je n'en sais rien, répond Frédéric, en haussant les épaules.

Comme monsieur Weber est occupé pendant un long moment, en l'attendant, Évelyne et Mateo jettent un œil plus attentif sur l'alphabet morse.

— Nous n'arriverons jamais à apprendre ce code en temps, dit Mateo.

— Je crois que tu as raison, dit Évelyne, en hochant tristement la tête.

— Celui-là venait de Hong Kong, dit fièrement monsieur Weber, en retirant ses écouteurs.

Avec un grand sourire, il ouvre un tiroir et en sort une petite épinglette rouge en forme de drapeau. Ensuite, il fait pivoter sa chaise et pique l'épinglette sur une grande mappemonde accrochée au mur.

— Alors, reprend monsieur Weber, qu'est-ce que je puis vous dire d'autre à propos de...

Il interrompt abruptement sa phrase pour hausser le volume de son appareil. Une rafale de poinçonnements saccadés envahit la pièce.

— Excusez-moi, mais je dois absolument répondre, dit monsieur Weber, en commençant à taper un message avec son manipulateur.

— Il est vraiment très habile avec son bidule, dit Évelyne à l'attention de Frédéric. Et avec les crayons? Est-ce qu'il lui arrive de taper avec des crayons?

— Avec des crayons? Mais de quoi tu parles?

— Écoute, Frédéric, intervient Mateo, ton père m'a l'air très occupé. Je crois que nous ferions mieux de partir, dit-il, en attrapant la poignée de porte. Remercie-le bien pour nous, d'accord?

—D'accord, dit Frédéric, en acquiesçant d'un signe de tête.

— As-tu *entendu* monsieur Weber? dit Évelyne, tandis que Mateo et elle se dirigent vers leurs bicyclettes. Des messages d'autres galaxies! Wow!

— Essaies-tu de me dire qu'il est mêlé à cette histoire?

— Tout ce que je veux dire, c'est que, actuellement, il ne faut faire confiance à personne. Il y a peut-être plus d'extraterrestres que nous l'avions supposé, dit Évelyne, en enfourchant sa bicyclette. Cette histoire dure peut-être depuis des années, et il est bien possible que toute la ville en soit pleine!

continue Évelyne, en roulant en petits cercles autour de Mateo. J'ai trouvé! Je sais ce que nous allons faire! Lundi, nous allons aller à la bibliothèque et nous allons consulter les vieux journaux. Nous allons chercher à savoir si un événement étrange ne se serait pas produit. Tu me suis? Des trucs, comme des lueurs bizarres dans le ciel ou quelque chose du genre!

— C'est une super idée, convient Mateo.

— Mateo... dit Évelyne, en arrêtant brusquement sa bicyclette et en mettant pied à terre. Mateo, comment je fais pour être certaine que toi-même, tu n'es pas un extraterrestre?

— Évelyne! dit Mateo, en levant les yeux au ciel. Ne t'inquiète pas. Si j'en étais un, je te l'aurais dit. Maintenant, allons-y, dit-il, en enfourchant sa bicyclette. J'ai des tas de courses à faire pour ma mère.

Chapitre 9

La filature

Ils pédalent jusqu'à une intersection où ils doivent s'arrêter à un feu rouge.

— Évelyne, regarde qui est là!

— Où? demande Évelyne, en se retournant en direction d'un groupe de piétons qui traversent la rue.

— Là. Ce type qui marche vite. Il ne te fait pas penser à quelqu'un?

Évelyne regarde attentivement.

— Je ne vois personne, dit-elle, en plissant les yeux.

— Tu n'as pas tes lunettes! dit Mateo, en attrapant Évelyne par les épaules pour la forcer à regarder dans la direction opposée. Juste là!

— C'est... hésite Évelyne, qui arrive tout juste à distinguer une vague silhouette qui marche d'un pas vif sur le trottoir d'en face. C'est...

— C'est monsieur Lanteigne! s'écrie Mateo.

— Je n'ai jamais vu monsieur Lanteigne ailleurs qu'à l'école, dit Évelyne. C'est étrange de le voir en plein soleil. Je me demande ce qu'il fait ici.

— Il a l'air drôlement pressé, dit Mateo. Qu'est-ce qu'on fait?

— Nous devrions le suivre, répond Évelyne, du tac au tac.

Dans leur empressement, il leur semble que le feu met une éternité à changer.

— Je te parie qu'il a rendez-vous avec un autre extraterrestre pour savoir à quel moment aura lieu la prochaine livraison de créatures! dit Évelyne, surexcitée. Allons-y! dit-elle, d'un ton déterminé, quand le feu passe enfin au vert.

Ils traversent l'intersection en marchant à côté de leurs bicyclettes, puis sautent en selle et pédalent à toute vitesse pour rattraper monsieur Lanteigne.

— Il ne faut pas qu'il nous voie, dit Mateo, en le voyant tourner le coin.

— Regarde! Il entre dans cette galerie de boutiques! s'exclame Évelyne.

Mateo et elle verrouillent leurs bicyclettes et, à la suite de monsieur Lanteigne, s'engouffrent dans la galerie de boutiques où grouille une foule compacte.

— C'est une bonne chose qu'il soit grand, dit Évelyne, en se faufilant au milieu des badauds. Sinon, nous l'aurions perdu, c'est certain.

— Attends! s'écrie Mateo, qui vient de voir monsieur Lanteigne s'arrêter dans un kiosque pour prendre un journal.

Évelyne et Mateo se cachent derrière une énorme fausse plante en pot pour le surveiller.

— Essaie de voir ce qu'il achète, murmure Évelyne.

Mateo écarte les feuilles de plastique pour mieux voir.

— Avant aujourd'hui, je n'avais jamais vu monsieur Lanteigne lire un journal. Et toi? demande Évelyne, en se penchant au-dessus de l'épaule de Mateo. Le voilà maintenant qui tourne les pages. D'après toi, qu'est-ce qu'il peut bien chercher?

— Je ne peux pas voir, j'ai tes cheveux dans les yeux, dit Mateo.

— Il vient par ici! s'écrie Évelyne.

— Vite! Cachons-nous! dit Mateo, en tirant Évelyne par la manche.

Ils contournent la fausse plante juste en temps pour éviter d'être vus par monsieur Lanteigne qui se laisse lourdement tomber sur un banc situé à quelques pieds de leur cachette. Il feuillette bruyamment les pages de son journal jusqu'à ce qu'il semble enfin y trouver ce qu'il cherche. Ses yeux se mettent à suivre le gros index qui glisse sur la page. À un point précis, le doigt s'immobilise et un large sourire éclaire le visage de monsieur Lanteigne. Évelyne et

Mateo échangent un regard surpris.

— C'est la première fois que je le vois sourire, dit Évelyne.

À ce moment précis, monsieur Lanteigne se relève et commence à s'éloigner.

— Il vient de jeter son journal dans cette poubelle! Viens!

Évelyne et Mateo sortent de leur cachette et se faufilent dans la foule jusqu'à la poubelle.

— Yark! C'est dégoûtant! dit Évelyne, en jetant un coup d'œil dans la poubelle. Qu'est-ce que tu dirais de récupérer le journal pendant que je surveille monsieur Lanteigne?

Mateo relève sa manche, plonge le bras au fond de la poubelle et en ressort le journal. Du bout des doigts, il enlève une pelure de banane qui s'est collée au papier.

— Une carte météo, dit-il, déçu, après avoir examiné attentivement la page à laquelle le journal est plié. Tout un indice!

— Mais c'est un indice! réplique Évelyne. Crois-tu qu'on peut faire atterrir un vaisseau spatial par n'importe quel temps? Il faut savoir à quel moment le ciel sera dégagé. Tu ne comprends donc pas? Ils doivent savoir où faire atterrir le vaisseau spatial!

— Évelyne, tu as encore ce drôle de petit éclair dans l'œil...

— Regarde! Il entre dans cette librairie!

Mateo rejette le journal dans la poubelle et se hâte de rejoindre Évelyne qui s'apprête à entrer dans la librairie. À l'intérieur, c'est frais et calme. À pas de loup, ils arpentent les rangées de livres jusqu'à ce qu'ils retrouvent monsieur Lanteigne en train de feuilleter un livre.

— Qu'est-ce que c'est comme livre? demande Évelyne, en passant la tête entre les présentoirs de livres de cuisine et de jardinage.

— Il est dans la section Voyages, dit Mateo, en levant les yeux vers l'écriteau accroché au plafond.

— Il aura peut-être à se déplacer, dit Évelyne, en écarquillant les yeux. C'est ça! Il faut qu'il aille dans une ville éloignée ou en quelque part au fond du désert pour accueillir le vaisseau spatial! J'ai déjà entendu parler de vaisseaux spatiaux qui atterrissaient dans le désert.

Monsieur Lanteigne se dirige vers la caisse avec son livre, parle un petit moment avec la préposée, paie son livre et sort.

— Il ne faut pas le perdre de vue. Allez, viens! dit Évelyne, en entraînant vivement Mateo vers la sortie.

— Où est-il passé? demande-t-elle, en se retrouvant dans la foule.

— Là-bas, dit Mateo. Il entre dans la pharmacie.

Évelyne et Mateo se faufilent dans la pharmacie à la suite de monsieur Lanteigne et le suivent à distance, en longeant les rayons couverts de sirops pour la toux, de pâte dentifrice et de papier hygiénique.

À l'angle de l'allée numéro cinq, Mateo allonge le cou et observe monsieur Lanteigne qui s'est arrêté devant un présentoir de lunettes de soleil. Il en choisit une paire amusante et les essaie.

— Ce sont vraiment des lunettes bizarres, observe Mateo.

— Elles sont vertes! Comme des yeux d'extraterrestres! ajoute Évelyne, en ravalant sa salive. Tout ça est plein de bon sens! C'est pour se protéger les yeux contre la lumière éblouissante du vaisseau spatial!

Sur ces entrefaites, monsieur Lanteigne jette un coup d'œil dans leur direction. Ils se rabattent vivement derrière les tablettes. Après un moment, ils allongent de nouveau le cou pour jeter un coup d'œil dans l'allée.

— Où est-il passé? demande Mateo.

— Il était juste là! dit Évelyne.

— Comment pouvons-nous l'avoir perdu? bougonne Mateo, en arpentant les allées avec Évelyne. Il était juste...

— Vous cherchez quelqu'un? grogne une grosse voix grave.

Comme il va lever les yeux, Mateo entend la voix chevrotante d'Évelyne derrière lui :

— M... Maa... Mat...

— Vous cherchez quelqu'un? grogne de nouveau la voix.

Mateo relève finalement la tête et aperçoit un

visage familier penché vers lui. Le poil en broussaille, le sourcil froncé, c'est monsieur Lanteigne.

Chapitre 10

Perquisition matinale

— **O**ui... NON! Euh, je veux dire oui...
répond Mateo.

— Nous voulions seulement... commence
Évelyne.

— Vous m'avez suivi, l'interrompt monsieur
Lanteigne, avec de gros yeux ronds. Je vous ai
vus à la librairie, et je vous ai vus aussi derrière
cette plante. Maintenant, j'aimerais savoir

pourquoi vous me suivez, dit-il, en se baissant pour ramener son gros visage barbu à la hauteur de celui de Mateo.

— Nous, euh... Nous... Nous... bafouille Mateo.

— Tout ça, c'était mon idée, monsieur Lanteigne! intervient Évelyne, en se faufilant prestement entre Mateo et monsieur Lanteigne. S'il vous plaît, ne le frappez pas! Nous voulons simplement retourner à la maison!

Monsieur Lanteigne se redresse et recule d'un pas. Il fronce les sourcils et se gratte le front.

— Petits idiots, va! Vous devez trouver la vie drôlement ennuyante pour faire des âneries semblables, dit-il, en roulant des yeux mauvais. Rassurez-vous, je ne vous ferai pas de mal, continue-t-il. Mais il me semble que vous pourriez passer le temps à faire autre chose... Comme... comme vous entraîner au ballon-panier, par exemple. Bon sang de bonsoir!

En poussant un dernier soupir, monsieur Lanteigne les laisse sur place et se dirige vers la caisse.

Tout en se mordant la lèvre, Évelyne le suit des yeux jusqu'à la sortie.

— Fiou! fait Mateo, en prenant une longue respiration.

— Il en a après nous, c'est évident, dit Évelyne, en sortant de la galerie commerciale. Il vient d'essayer de nous intimider. Très habile. Mais nous avons vu pire, dit-elle, avant de s'arrêter brusquement pour faire face à Mateo. Nous devons retourner dans le local de monsieur Lanteigne. C'est la seule solution. Nous devons aller au fond de cette histoire.

* * *

Le lundi matin, Mateo avale la dernière bouchée de son petit déjeuner quand sa mère entre dans la cuisine.

— Bonté divine! Qu'est-ce que tu fais debout à cette heure? demande-t-elle, tout en se séchant les cheveux avec une serviette. Normalement, tu restes au lit au moins une demi-heure de plus.

— J'ai des tas de choses à faire à l'école, répond Mateo, tout en rangeant son verre de jus dans le lave-vaisselle.

— Parlez-moi de ça! dit madame Dias, avec un grand sourire de satisfaction. Tu prends de l'avance dans tes travaux de recherche?

— On peut dire ça comme ça, répond Mateo, en attrapant son sac à dos et en se dirigeant vers la porte. À ce soir, m'man.

À cette heure matinale, le quartier est remarquablement calme et Mateo roule tout doucement à bicyclette jusqu'au bout de la rue. Comme à chaque matin, Évelyne est là, qui l'attend.

— As-tu tout ce qu'il faut? lui demande-t-elle, avant même qu'il n'arrive à sa hauteur.

— Cette fois, j'ai pensé à la lampe de poche, répond-il.

Ils roulent un petit moment en silence, puis Évelyne lui demande :

— As-tu peur?

Mateo prend le virage qui mène au stationnement de l'école avant de répondre.

— Je ne crois pas. Et toi?

— Moi? Qu'est-ce que tu crois! Bien sûr que non, répond Évelyne, en secouant la tête.

Pendant qu'ils verrouillent leurs bicyclettes, Mateo remarque quelque chose dans le coin le plus éloigné du stationnement.

— La camionnette! s'exclame-t-il. C'est la camionnette que j'ai vue passer dans ma rue l'autre soir! Regarde sur le côté, c'est la même inscription : «Lacasse, récupération de bouteilles et de pots de verre».

— Ils doivent décharger la nouvelle cargaison! Allons voir ça de plus près! dit Évelyne, en partant à la course en direction de la camionnette.

Mateo la suit, tout en jetant des regards prudents autour de lui.

— On dirait qu'il n'y a personne à l'intérieur, et la porte est entrouverte, dit Évelyne, en tirant sur la poignée.

La porte coulisse sans difficulté.

— Des boîtes! Exactement les mêmes que celles que nous avons vues au sous-sol!

Évelyne grimpe à bord de la camionnette, ouvre une des boîtes et en sort un pot de verre qu'elle montre à Mateo. En effet, il est identique à ceux qu'ils ont déjà vus au sous-sol.

— Est-ce qu'ils viennent les livrer ou les chercher? demande Mateo.

— Il y a une seule façon de le savoir, réplique Évelyne. Viens!

Ils grimpent les marches de l'entrée et pénètrent dans l'école.

— Je n'ai jamais vu l'école aussi vide, dit-elle.

— Il y a un écho, chuchote Mateo, en lui plaquant sa main sur la bouche.

Soudainement, ils entendent des bruits de voix.

— Vite! Dans le bureau! dit Mateo, en tournant le bouton de la porte. C'est verrouillé! constate-t-il.

— Par ici! dit Évelyne, en traversant le couloir à la course. Viens! dit-elle, en ouvrant une porte devant Mateo. Tu vois? chuchote-t-elle. C'est toujours pratique les toilettes des filles, non?

À l'extérieur, les bruits de voix se rapprochent progressivement. Mateo entrouvre très légèrement la porte.

— Qui est-ce? demande Évelyne.

— C'est madame Lacasse avec quelqu'un d'autre... Je crois que c'est monsieur Lacasse, chuchote Mateo.

— Qu'est-ce qu'ils font?

— Chut!

Au même moment, madame et monsieur Lacasse passent devant la porte. Une fois qu'ils se sont éloignés, Mateo laisse la porte se refermer.

— Ils transportent des pots de verre, dit-il, en se tournant vers Évelyne.

— Dans ce cas, nous ferions bien de descendre au sous-sol avant qu'ils ne reviennent, dit Évelyne.

En cachette, ils sortent des toilettes et se dirigent vers l'escalier qui mène au sous-sol.

Évelyne ouvre la lourde porte et allume la lumière. Mateo allonge le bras et l'éteint aussitôt.

— Il ne faut pas qu'on puisse soupçonner que nous sommes là, dit-il, en allumant sa lampe de poche. Suis-moi, ajoute-t-il, en prenant les devants.

Ils descendent l'escalier et se dirigent vers le local de monsieur Lanteigne.

— Et les pots? demande Évelyne.

— Nous irons voir après. Viens. Nous allons d'abord savoir ce qu'il y a dans cette pièce et ensuite nous sortons d'ici.

Sur ces entrefaites, la lumière de sa lampe de poche se met à trembloter et à faiblir.

— Mes piles sont faibles, dit-il, en frappant la lampe de poche dans la paume de sa main.

— Formidable! dit Évelyne, en roulant de grands yeux.

— Allez, on continue, dit Mateo, une fois que la lumière a repris de son intensité.

Il éclaire à la ronde jusqu'à ce qu'il repère la porte du local de monsieur Lanteigne. Peint en gros caractères, le mot CONCIERGE brille dans le faisceau de lumière.

— Nous y voilà. Le cachot est censé être derrière. Tu vois quelque chose?

Évelyne scrute l'obscurité, puis laisse échapper un terrible hurlement.

Chapitre 11

Buenos días

—Qu'est-ce qu'il y a? Qu'est-ce que tu vois? demande Mateo.

— Là, dit Évelyne, en pointant vers le couloir sombre.

— Ça? dit Mateo, en éclairant dans la direction indiquée par Évelyne. Ça? Cette araignée?

— Je n'aime pas les araignées, dit-elle. Et elle est énorme.

— Je croyais que tu avais trouvé le cachot, dit Mateo, en poussant un soupir de soulagement. Elle n'est pas énorme, elle est toute petite.

— Eh bien, à mes yeux, elle est énorme, réplique Évelyne, en frissonnant.

— Viens, nous n'avons pas beaucoup de temps, dit Mateo, en poussant la porte qui s'ouvre en grinçant.

Ils découvrent un local encombré de seaux, de balais et de produits de nettoyage.

— Regarde! J'en étais sûre! Je savais qu'il y avait un frigo! s'exclame Évelyne, en traversant la petite pièce pour ouvrir la porte du réfrigérateur.

— Qu'est-ce qu'il y a à l'intérieur?

— Toutes sortes de pots.

— Et qui contiennent quoi?

— Dans celui-ci, il y a des cornichons, dit Évelyne, en soulevant le couvercle d'un des contenants.

— Des cornichons?

— Et dans celui-ci, il y a du fromage, continue-t-elle, en ouvrant un second contenant.

Finalement, elle les ouvre tous. Saucisson de Bologne, laitue, margarine. Tous les contenants portent la même identification écrite au crayon feutre : Lanteigne.

Évelyne les referme soigneusement, les remet à leur place et referme la porte du frigo.

— Rien, dit-elle, sur un ton déçu. Moi qui croyais qu'il y aurait des trucs super là-dedans.

Comme elle s'éloigne du réfrigérateur, la lampe de poche de Mateo recommence à trembloter. La lumière faiblit, puis s'éteint complètement, les laissant dans l'obscurité totale.

— Mateo? Mateo? Où es-tu? appelle Évelyne, d'une voix inquiète.

Sans répondre, Mateo frappe la lampe de poche sur sa paume. *Toc, toc...*

— Qui est là? Mateo, Mateo, où es-tu? couine Évelyne, apeurée.

— Je suis juste ici, répond finalement la voix de Mateo, dans l'obscurité. Détends-toi, veux-tu? J'essaie de rallumer ce fichu truc. Essaie d'ouvrir le frigo, comme ça nous aurons de la lumière.

— Ouf! Ça va mieux. Je croyais que tu étais...

Tout en s'avançant à tâtons vers le réfrigérateur, Évelyne trébuche sur quelque chose. Pour ne pas perdre l'équilibre, elle s'accroche à l'établi et heurte un objet qui s'y trouve. C'est alors qu'elle remarque une drôle de petite lumière verte qui scintille dans le noir, juste devant ses yeux.

— Mateo, regarde un peu par ici.

— Quoi? fait Mateo, qui tripote toujours sa lampe de poche.

Avant qu'Évelyne n'ait le temps de répondre, une voix, venue de nulle part, se met à parler à tue-tête dans le noir :

— Bwééé-noos dii-aaass... bway-nos diaaas, fait la voix. Bonjour.

Évelyne et Mateo poussent tous deux un cri de terreur.

— Bwééé-noos dii-aaass... bway-nos diaaas, répète la voix.

— Mais c'est mon nom! Cette chose connaît mon nom! Elle m'appelle Dias! s'exclame Mateo, en frappant frénétiquement sur sa lampe de poche.

— Bonjour, continue la voix.

— Vite, Mateo, vite! supplie Évelyne.

Enfin, la lampe de poche se rallume et, frénétiquement, Mateo dirige son faisceau lumineux dans tous les coins de la pièce.

— Qui êtes-vous? Où êtes-vous? crie-t-il. Sortez! Nous savons que vous êtes là!

Quand il arrive finalement à braquer sa lampe de poche sur la bizarre de petite lumière verte, Mateo pousse un long soupir de soulagement.

— C'est... ce n'est qu'un magnétophone, dit-il.

— Bwééé-noos dii-aaass... bway-nos diaaas, dit la voix, une nouvelle fois. Bonjour.

— C'est un enregistrement, dit Évelyne.

— A-di-os! continue la voix. Au revoir.

Mateo arrête l'appareil et appuie sur le bouton pour faire éjecter la cassette.

— Espagnol pour débutants, dit-il, à voix haute, en lisant le titre de la cassette.

Mateo laisse ensuite courir le faisceau de sa lampe de poche sur le reste de l'établi. Faisant face à un gros fauteuil, ils découvrent un magazine ouvert dont Évelyne s'empare aussitôt.

— Merveilles du Mexique! s'exclame-t-elle, en lisant le titre de l'article.

— Monsieur Lanteigne projette d'aller passer ses vacances au Mexique, s'exclame Mateo, en se laissant tomber dans le gros fauteuil.

Surexcitée, Évelyne se met à énumérer les faits en comptant sur ses doigts.

— D'abord le journal, pour connaître la température au Mexique. Ensuite, il achète un livre, toujours sur le Mexique. Enfin, les lunettes de soleil. Tout ça est parfaitement clair!

— Comment ai-je pu me laisser entraîner dans ton histoire d'extraterrestres! gémit Mateo, en se tenant la tête à deux mains.

— Oh, allez, Mateo! Tu étais le premier à y croire. C'est même toi qui as découvert le trafic de pots de verre de monsieur et madame Lacasse.

— Les pots! s'exclame Mateo. Nous ne savons toujours pas ce qu'ils contiennent! dit-il, en bondissant sur ses pieds. Viens vite, Évelyne!

— J'arrive, dit-elle, en le suivant difficilement dans l'obscurité.

Arrivés dans la pièce où sont entreposés les pots, Mateo éclaire ceux qui sont au sol et qui contiennent les étranges créatures.

— Prenons-en un, dit-il. Nous allons l'emporter à la bibliothèque pour déchiffrer l'étiquette.

— D'accord, acquiesce Évelyne. Mais c'est toi qui le prends. Moi, je ne veux pas porter ça.

Mateo s'empare d'un pot contenant une de ces étranges créatures griffues aux longues oreilles, et monte l'escalier.

Ils entrebâillent la porte et jettent un coup d'œil dans le couloir. La voie est libre.

Quelques secondes plus tard, quand ils arrivent à la bibliothèque, toutes les lumières s'allument d'un coup.

— Il y a quelqu'un! chuchote Évelyne, inquiète.

— Non, ne crains rien, il n'y a personne. Nous sommes dans la nouvelle section de l'école. Les lumières s'allument automatiquement, dit Mateo, en déposant le gros pot à côté d'un terminal d'ordinateur. Hâtons-nous, ajoute-t-il. Les gens vont bientôt commencer à arriver.

— Il nous reste à peu près quinze minutes, dit Évelyne, en jetant un coup d'œil à l'horloge.

— Très bien. Alors, voyons ce que contient ce pot, dit Mateo, en tournant l'écran vers lui.

Il clique sur l'icône du programme «Encyclopédie». *Bienvenue chez le Petit Génie*, dit le message qui s'affiche à l'écran. *Tapez un mot-clé et j'exécuterai la recherche pour vous.*

— Très bien. Maintenant, que dit l'étiquette sur le pot? demande Mateo.

Évelyne fait pivoter le pot de manière à ce que l'étiquette lui fasse face.

— J'aurais dû emporter mes lunettes, marmonne-t-elle, en plissant les yeux. O-r-y-c-t-e-r-o-p-u-s a-f-e-r, lit péniblement Évelyne, en énumérant les lettres une à une.

Au fur et à mesure qu'elle les nomme, Mateo tape les caractères au clavier, puis appuie sur la touche Enter.

Pendant un moment, rien ne se passe, puis, subitement, l'écran se met à changer de couleur.

Chapitre 12

Plus vrai que vrai

—Voilà! Quelque chose apparaît. Qu'est-ce que c'est? demande Évelyne.

Mateo garde les yeux fixés sur l'image qui se forme sur l'écran, puis se prend la tête à deux mains.

— Un cochon de terre! gémit-il, d'une voix étouffée.

— Un quoi? demande Évelyne, incrédule.

— Un oryctérope. Un cochon de terre! Regarde.

Évelyne et Mateo regardent l'étrange image qui occupe l'écran. L'animal a une tête allongée et étroite qui se termine en un long museau. Il a également des oreilles de lapin et de longues griffes.

— Eh bien, cow-boys! Nous nous sommes levés aux aurores! dit une voix, dans leur dos.

Évelyne et Mateo sursautent et font demi-tour.

— D'après ce que je vois, nous avons décidé de faire un peu de recherche, c'est bien ça?

— Oui, monsieur Godbout, répond Évelyne. Mais nous avons terminé, dit-elle, en regardant Mateo de travers.

Monsieur Godbout s'avance et jette un coup d'œil sur l'écran.

— Nous avons décidé de donner un dernier petit coup d'éperon avant d'arriver aux vacances, humm? dit-il, en souriant. C'est bien. Moi-même, je passe mes vacances au ranch. Et je n'en peux plus d'attendre.

— Au ranch? répète Mateo.

— Ouais. Ma famille vit sur un ranch. C'est d'ailleurs là que j'ai grandi. Je m'ennuie des chevaux et du bétail. Il n'y a rien de tel que l'odeur d'un ranch, sourit monsieur Godbout, en inspirant profondément.

— Eh bien... euh... En attendant que la cloche sonne, je crois que nous allons sortir prendre l'air, dit Mateo, en éteignant l'ordinateur.

— Et nous en avons fini avec ceci? demande monsieur Godbout, en prenant le pot sur la table. C'est une excellente réplique de l'oryctérope, non?

—Super. Il a l'air plus vrai qu'un vrai, répond Évelyne, en lui souriant. Et non, nous n'en avons plus besoin.

— Au sous-sol, nous avons une belle collection d'animaux, continue monsieur Godbout. Tenez, j'y pense... il y a bien longtemps que nous les avons rangés. Un de ces jours, nous devrions les exposer dans la bibliothèque, dit-il, en souriant. Nous pouvons partir, cow-boys... mais au petit trot. Pas question de galoper.

Évelyne et Mateo sortent de la bibliothèque. Une fois dans le couloir, Évelyne se prend la tête à deux mains.

— Comment avons-nous pu nous tromper à ce point? J'étais tellement certaine que, cette fois, j'avais raison, gémit-elle, en secouant la tête, incrédule. Je t'en prie, dit-elle à Mateo, la prochaine fois, avant que les choses n'aillent trop loin, tâche de me mettre en garde contre les débordements de mon imagination.

— C'est ce que j'ai fait! s'exclame Mateo, en levant les bras au ciel.

Arrivés dans le stationnement, ils aperçoivent monsieur et madame Lacasse emportant chacun deux gros pots de verre à leur camionnette.

— Besoin d'un coup de main? leur crie Évelyne.

— Non merci! lui répond madame Lacasse de loin. C'est le dernier voyage. Nous avons récupéré les anciens contenants de verre vides de la cafétéria, dit-elle, en rangeant les derniers pots dans la camionnette. Phouah! fait-elle, en se frottant les mains. Depuis le temps qu'ils sont entreposés au sous-sol, on peut dire qu'ils en ont accumulé de la poussière!

— C'est donc ça qu'ils font avec les pots de verre! dit Mateo, en s'assoyant sur la pelouse.

Quelques minutes plus tard, ils voient entrer monsieur Lanteigne dans le stationnement, au volant de sa fourgonnette.

— Dire que nous l'avons pris pour un extraterrestre! dit Mateo, en éclatant de rire.

— Et pas seulement lui, ajoute Évelyne, en ricanant. Il y a même un moment où nous avons pensé que tout le monde en était! dit Évelyne, en se roulant dans le gazon, prise d'un fou rire incontrôlable.

Quant à Mateo, il rit tellement que des larmes se mettent à couler sur ses joues.

Après un long moment, ils arrivent à reprendre suffisamment de sérieux pour se remettre à parler.

— Quelle histoire de fous! s'exclame Mateo, en s'essuyant le visage.

— Je ne te le fais pas dire, acquiesce Évelyne.

Le dernier autobus scolaire entre dans la cour et la cloche sonne.

— Viens, sinon nous allons être en retard en classe, dit Mateo, en se relevant et en brossant ses vêtements. Dis donc, as-tu fait tes devoirs? reprend-il, tandis qu'ils traversent l'esplanade gazonnée.

Comme il n'obtient aucune réponse, il se retourne et aperçoit Évelyne, quelques pas derrière lui, plantée au milieu de la pelouse, les yeux fixés sur la toiture de l'école.

— As-tu vu ça? demande-t-elle, les yeux écarquillés.

La main sur la bouche, elle recule d'un pas pour mieux voir.

— Vu quoi? demande Mateo, en levant les yeux à son tour.

—Là, dit Évelyne, en pointant le dernier étage de l'école. Tu vois cette fenêtre? La dernière là-haut?

Mateo la repère facilement. C'est la fenêtre du grenier de la vieille école.

— Je ne vois rien, dit-il.

— Je viens de voir un fantôme à la fenêtre! Il y a un fantôme dans le grenier de l'école! dit Évelyne, surexcitée. Viens! crie-t-elle, en attrapant Mateo par la manche pour l'entraîner vers les escaliers.

— Et voilà! C'est reparti! soupire Mateo, en roulant de grands yeux et en courant à la suite d'Évelyne vers leur prochaine aventure.

Table des matières

Suzan Reid a toujours adoré l'écriture. Petite, afin que son père se sente moins seul au travail (incidemment, il était concierge), elle avait pris l'habitude de lui écrire des histoires qu'elle glissait en catimini dans sa boîte à lunch. Depuis cette époque, elle a écrit d'autres albums parmi lesquels : *Toute une glissade!* et *Les carnivores arrivent!*

Suzan vit à Westbank, en Colombie-Britannique, en compagnie de son époux et de ses deux filles, d'un chat et d'une tortue.